un petit livre

Pouf *et* Noiraud
campeurs

Texte et illustrations de Pierre Probst

DEUX
COQS
D'OR

Voici les beaux jours ! Pouf et Noiraud ont décidé de faire du camping.
« Vive la nature ! Vive la liberté ! s'exclament les chatons ravis.
– Moi, je m'occupe de l'eau, dit Noiraud, et toi, tu montes la tente. »

CAMPING
INTERDIT

Quoi de plus délicieux qu'une veillée près d'un bon feu ? « Ami-Ami Ami-aou ! Connaissez-vous plaisir plus doux ? » chantent les deux chatons.

« Le matelas est un peu dur, dit Pouf qui se glisse dans le duvet.

– Ce que tu peux être douillet ! » pense Noiraud.

Crac ! Crac !

« Qui est là ? demande Pouf, terrorisé.

– C'est le fantôme de la forêt, dit Noiraud, amusé.

– Quelqu'un marche sur mon duvet !

– Tu dois rêver !

– Au secours ! hurle Pouf, un scarabée ! »

« Pas question de partager mon duvet ! dit
Pouf. Je préfère passer la nuit dehors. Brr ! J'ai
froid et en plus Noiraud se moque de moi ! »

« Voulez-vous sortir ! crie Noiraud, à son tour
réveillé par une famille de souris.
– Vous n'y pensez pas ! dit maman Souris, mes enfants
dorment déjà !
– Dans ce cas je m'en vais, mais vous le regretterez ! »

Et voilà nos deux amis à nouveau réunis !
Pendant ce temps, les souris bavardent gaiement
dans leur nouvel appartement.

Rien de tel que l'air des prairies pour ouvrir l'appétit ! « Si tu veux manger aujourd'hui, il faudrait peut-être m'aider ! rouspète Pouf.
– Justement, je choisis le menu ! » dit Noiraud le futé.

Avant de partir pêcher, Pouf installe un collet.
« Voilà un piège pour attraper le gibier !
– Et voilà pour les souris », dit Noiraud, qui compte
bien avoir le dernier mot.

« Venez, dit Pouf, venez, petits pois-
sons ! Quel festin vous allez faire !

– Et croyez-moi ! ajoute Noiraud, vous
mordrez à l'hameçon, car je vous prépare un
excellent dessert ! »

« Trois heures que nous pêchons et toujours rien, dit Pouf, agacé.

– Et de trois, crie le martin-pêcheur qui a attrapé un poisson.

– Trois ! Trois ! Trois ! » fait la grenouille, amusée.

Nos deux amis décident d'aller au marché : ce sera plus simple pour avoir du poisson !

« Donnez-nous s'il vous plaît du saumon, madame Griselaine.

– Si tous les pêcheurs étaient comme vous, je gagnerais beaucoup de sous ! »

Ventre affamé n'a pas d'oreilles, et encore moins de cervelle ! Les deux chatons ont oublié les pièges qu'ils ont posés le matin. Crac ! Voilà Pouf, la tête dans son collet. Clac ! Voilà Noiraud, la queue emprisonnée.

« Tel est pris qui croyait prendre ! » se moquent les souris.

Remis de leurs émotions, Pouf et Noiraud invitent les souris à déjeuner.

« Pour nous faire pardonner, madame Souris.

– Sans rancune, monsieur Pouf ! »

Et c'est un repas très réussi, grâce à tous ces nouveaux amis !